うんこ！

サトシン・作　西村敏雄・絵

おそとの　けしきが　みえてきた。

みちの　すみっこで、わんこが　うんこ。

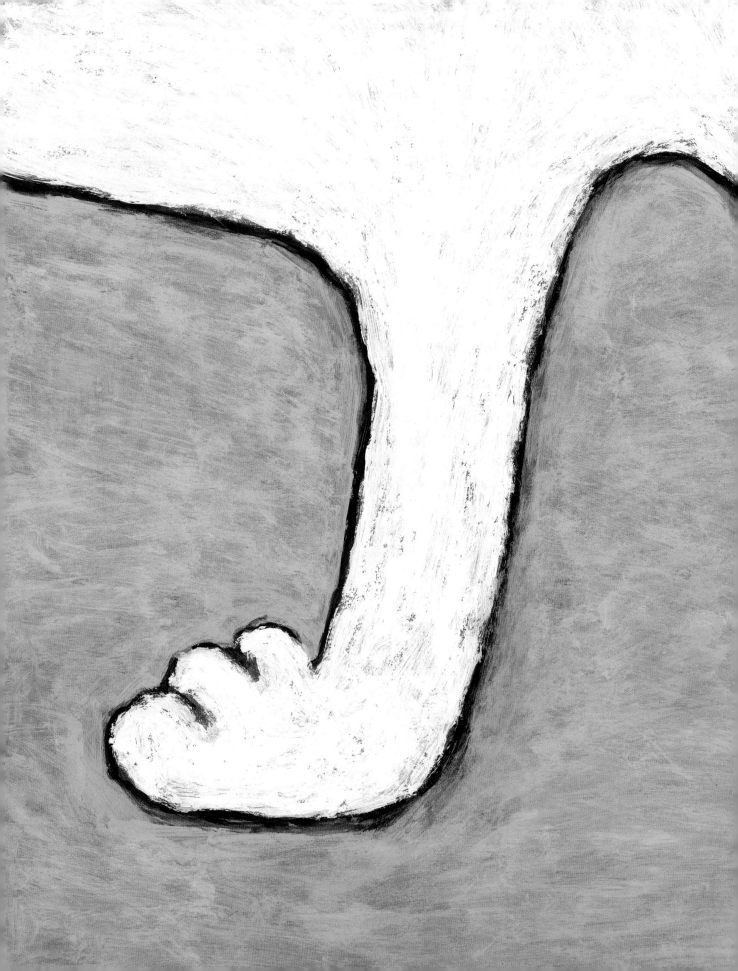

すとーん、ぺちゃっ。

「おーい、まってくれよー！」って　こえを　かけても、
わんこは　きづかず、すた　すた　すた。

それを　みた　うんこは、くやしがった。
「くっそー！」

そこに　ねずみが　とおりかかった。
「おやおや、だれかと　おもったら、うんこか」
そして　においを、くん　くん　くん。

「くっさーい！」

そして　ねずみは、にげてった。
うんこは、またまた　くやしがった。
「くっそー！」

そこに　へびが　とおりかかった。
「あれあれ、だれかと　おもったら、うんこか」
そして　においを、くん　くん　くん。

「くっさーい！」

そして　へびは、にげてった。
うんこは、またまた　くやしがった。
「くっそー！」

そこに　うさぎが　とおりかかった。
「あらあら、だれかと　おもったら、うんこくんね」
そして　においを、くん　くん　くん。

「くっさーい！」

そして　うさぎは、にげてった。
うんこは、またまた　くやしがった。
「くっそー！」

「まったく、みんな、ひどいじゃないか!」
うんこは　おこって、**ぷん　ぷん　ぷん**!
そして　うんこは、かんがえた。
じっくり　じっくり　かんがえた。

「うん、こうしよう!」

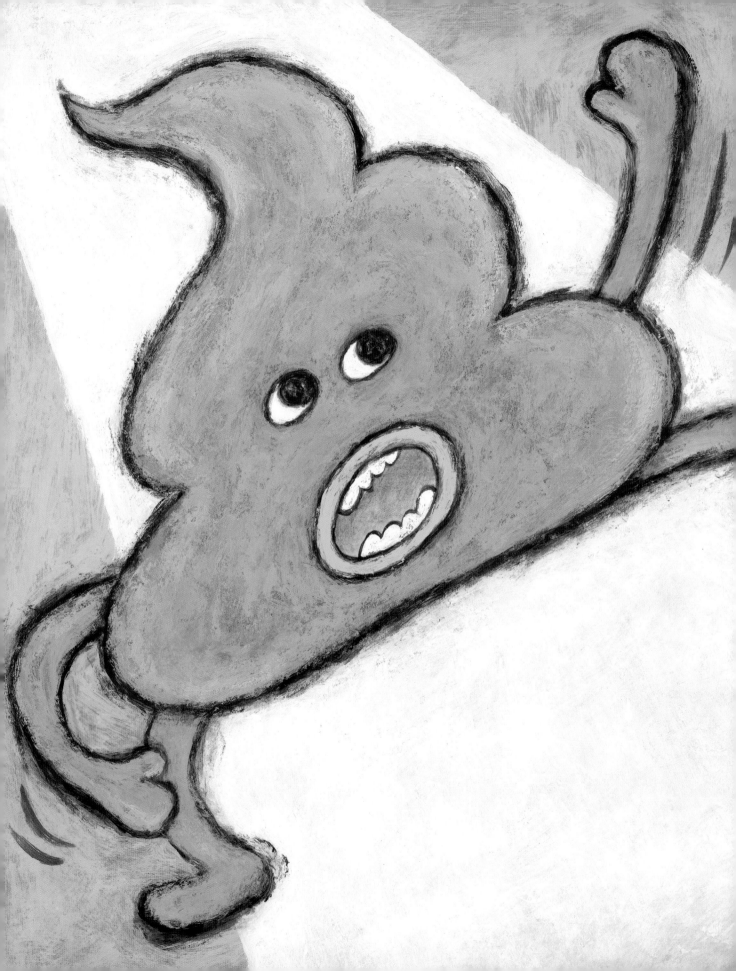

「こんなところに　いつまでも　いたら、ひからびるだけ。
なかまを　さがしに　でかけよう！」
そういうと、うんこは、おもい　こしを　あげた。

「うんこらしょっと！」

そうして　うんこは、なかまを　さがす　たびに　でた。
ふん！　ふん！　ふん！　ぺた　ぺた　ぺた。
ふん！　ふん！　ふん！　ぺた　ぺた　ぺた。

あるいてるうちに　たのしくなってきた　うんこは、
はなうたを　うたいはじめた。
ふん　ふん　ふ～ん♪ ぺた　ぺた　ぺた　ぺた。
ふん　ふん　ふ～ん♪ ぺた　ぺた　ぺた　ぺた。

そこに、おひゃくしょうさんが　とおりかかった。
「なんとまぁ、りっぱな　うんこじゃ！
どうじゃろう、わしの　はたけで
やさいたちの　こやしに　なってくれんかのう？
はたけには、おまえさんの　おなかまも　いっぱい　おるぞ」
「ふん、ふん、ふん」
はなしを　きいた　うんこは、おもった。
「こいつは、**うん**が　ついてきたぞ」
そこで、おおきく　うなずいた。
「うん！」

こうして うんこは
おひゃくしょうさんの はたけにまかれ、
こやしに なって、おいしい やさいを
うんと いっぱい そだてましたとさ。
よかったね、**うん うん！**

ふん ふん ふ～ん♪

サトシン

1962年、新潟県生まれ。
広告制作プロダクション勤務、専業主夫、フリーのコピーライターを経て、絵本作家に。
作家活動の傍ら、新しいコミュニケーション遊び「おてて絵本」を発案、
普及活動に力を入れている。
現在、大垣女子短期大学客員教授を務める。
絵本の主な作品に、『ヤカンのおかんとフトンのおとん』（佼成出版社）、
『おったまげたとごさくどん』（すずき出版）、
『きみのきもち』、『とこやにいったライオン』（共に教育画劇）、
『おれたちはパンダじゃない』（アリス館）、
『でんせつの きょだいあんまんを はこべ』（講談社）、
『ぶつくさモンクターレさん』（PHP研究所）、
『せきとりしりとり』、『わたしはあかねこ』、『さんぽのき』（以上文溪堂）など。
その他著書として『おてて絵本入門』（小学館）、『きいてね！おてて絵本』（扶桑社）。

サトシンHP http://www.ne.jp/asahi/satoshin/s/
おてて絵本普及協会HP http://www.ne.jp/asahi/satoshin/s/ofk.htm

西村敏雄（にしむら としお）

1964年愛知県生まれ。東京造形大学デザイン科卒業。
インテリアとテキスタイルのデザイナーとして活動後、絵本の創作を始める。
絵本の主な作品に、『バルバルさん』、『どうぶつサーカスはじまるよ』（共に福音館書店）、
『どろぼう だっそう だいさくせん！』、『マーロンおばさんのむすこたち』（共に偕成社）、
『どうぶつぴったんことば』（くもん出版）、
『ライオンのすてきないえ』（学研）、
『ぶつくさモンクターレさん』（PHP研究所）、
『わたしはあかねこ』（文溪堂）などがある。

本書『うんこ！』（文溪堂）は、第1回リブロ絵本大賞、
第20回けんぶち絵本の里びばからす賞、第3回MOE絵本屋さん大賞、
第4回子どもの絵本大賞 in 九州、第5回書店員が選ぶ絵本大賞受賞。

うんこ！

2010年1月　初版第1刷発行
2012年6月　　　第26刷発行
作　者　サトシン
画　家　西村敏雄
発行者　水谷邦照
発　行　株式会社文溪堂　〒112-8635　東京都文京区大塚3-16-12
　　　　TEL　(03) 5976-1515（営業）　(03) 5976-1511（編集）
　　　　ぶんけいホームページ http://www.bunkei.co.jp

印刷　凸版印刷株式会社　　製本　株式会社若林製本工場
装幀　DOMDOM